Sicotte, Antoine

Le Cuisinier rebelle – Mixologies : 100 punchs, sangrias, martinis et mixes pour occasions festives

Photographies : Antoine Sicotte

Photographie de la couverture et des pages 004-005, 008, 012-013, 014, 030-031, 044-045, 058-059, 072-073, 086-087 et 138 : Albert Elbilia (www.elbilia.com)

Photographies des pages 006, 098-099 et 134 : Dominic Gouin (www.dominicgouin.com)

Direction artistique : Albert Elbilia

Conception visuelle : Antoine Sicotte, Albert Elbilia et Antoine Ross Trempe

Design et retouche : Stéphane Losq et Marilyn Deguire

Consultante et barmaid : Vanessa Tobin

Accessoiriste : Michel Caron

Révision et corrections d'épreuve : Rosalie Dion Picard

Adjointe à la révision : Catherine L'Hérault

Adjointe à l'édition : Sara Dufour

Direction éditoriale : Antoine Ross Trempe

ISBN 978-2-920943-88-9

Dépôt légal : 2011

Bibliothèque et Archives du Québec

Bibliothèque et Archives Canada

ISBN 978-2-920943-88-9

Nous reconnaissons avoir reçu l'aide financière du gouvernement du Canada par l'entremise du Fonds du livre du Canada (FLC) pour nos activités d'édition ainsi que l'aide du gouvernement du Québec - Programme de crédits d'impôts pour l'édition de livres et Programme d'aide à l'édition et à la promotion - Gestion SODEC.

Distributeur exclusif

Pour le Canada et les États-Unis :

MESSAGERIES ADP

2315, rue de la Province

Longueuil, Québec J4G 1G4

Téléphone : 450 640 1237

Télécopieur : 450 674-6237

Internet www.messageries-adp.com

Imprimé au Canada

Antoine Sicotte

Le Cuisinier Rebelle
100 PUNCHS, SANGRIAS, MARTINIS ET MIXES POUR OCCASIONS FESTIVES
MIXOLOGIES

les éditions
cardinal

//////Avertissement

Les créateurs de ce livre sont parfaitement conscients que les cocktails et recettes de *drinks* qui suivent sont dans un ordre que l'on pourrait qualifier de *vrai bordel*. Cette décision a été prise pour assurer une présentation visuelle optimale plutôt qu'une organisation par section, simplement trop rigide.

Pour retrouver où sont les sangrias, les punchs, les martinis, etc., le lecteur n'a qu'à se servir de la table des matières (p. 009 à 011) ou pour retrouver un cocktail précis par type d'alcool, utiliser l'index des alcools (p. 139 à 141).

Notez aussi que toutes les présentations des cocktails sont suggérées et non imposées.

Alors laissez-vous aller !

////// Mixologies

Table des matières

Acidulé	**Onctueux**	**Sucré**	**Amer**	**Puissance**
Sensation vive et rafraîchissante.	Sensation crémeuse, riche et suave.	Sensation douce et agréable.	Sensation perçue à l'arrière de la langue.	Sensation de chaleur liée au taux d'alcool.

Source : www.espacecocktail.com

Les Cocktails

Les Chauds

Les Slushes rebelles

Les Jell-o

Les Shooters

//////Mes **Mixologies**

Le barman, c'est un drôle de moineau… À mi-chemin entre l'hôte parfait, le psychothérapeute, le conseiller marital et le don juan, il marche toujours sur une ligne mince… Mais au moins lui, il marche droit !

En mars 1990, j'étais derrière le bar du Whisky Café qui venait d'ouvrir. J'avais 18 ans et, même si j'avais déjà travaillé en cuisine (à la Moulerie et au Flore notamment), c'était ma première expérience de barman. C'est là que j'ai commencé à m'initier aux multiples et variés plaisirs des alcools… Guidé par des barmans d'expérience, j'ai rapidement trouvé ma place dans ce monde un peu fou.

C'est donc au Whisky Café - et par la suite au Passeport, au Jell-o Bar, au Sofa, chez Soto, à la Luna et au Royal - que pendant près de 10 ans, j'ai appris l'art subtil du « bar tending ». En plus d'apprendre mes classiques et de me familiariser avec tous les outils que l'on trouve dans le coffre du parfait mixologue (voir page 017), j'ai commencé à découvrir avec jouissance les grands scotchs, les bons rhums et les merveilleuses vodkas.
Ce fut vraiment, à tous les points de vue, une décennie de rencontres. D'abord avec les alcools et les saveurs, mais aussi - et surtout - avec les gens : les clients, les collègues et les amis…

////// LE COCKTAIL RASSEMBLEUR

J'ai d'abord voulu faire ce livre pour le côté réunificateur des cocktails. Qu'y a-t-il de plus rassembleur qu'un grand bol de punch par un chaud après-midi d'été ? Qu'y a-t-il de plus amical et sympathique qu'un énorme pichet de sangria qu'on déguste entre amis sur une terrasse ensoleillée ? J'ai aussi souhaité faire ce livre parce que je voulais partager ma passion des couleurs et des saveurs, pour l'aspect visuel de l'univers des cocktails.

Comme j'ai photographié moi-même toutes les recettes, j'ai pris soin de créer pour chacune d'elle une ambiance originale qui reflète la personnalité du drink. Ainsi, on passe au fil des pages d'atmosphères festives et ludiques à des moods plus sobres et sophistiqués, à des ambiances asiatiques, européennes ou encore sud-américaines.

Cette grande variété des textures et d'ambiances n'aurait pas été possible sans la collaboration des propriétaires de six bars montréalais absolument géniaux : le Whisky Café (5800 boul. Saint-Laurent), le Candibar (1148 av. du Mont-Royal est), le Baldwin Barmacie (115 rue Laurier ouest), Chez Serge (5301 boul. Saint-Laurent), Le Gogo lounge (3682 boul. Saint-Laurent), La Porte Rouge (1834 av. du Mont-Royal est). Merci vraiment les gars !

////// ACCORDS MIX-MUSIQUE ET BOUFFE

Pour permettre une expérience multi-sensorielle qui dépasse la simple découverte et dégustation des cocktails, je vous propose, pour chacun, un album musical à écouter (voir les accords mix-musique p. 135-137) ainsi qu'une proposition de recette tirée de mon premier livre (*Le Cuisinier rebelle* appelé CR1 dans les pages suivantes) ou des deux premières saisons de mon émission sur Zeste. En espérant que ces accords vous permettent de concocter des menus rebelles pour un brunch, un BBQ en famille, un cinq à sept entre amis ou une soirée en amoureux !

Et surtout… santé tout le monde !

/////// Mixologies

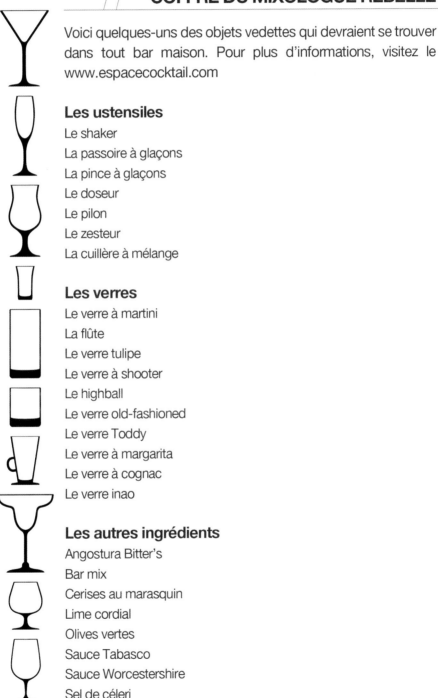

COFFRE DU MIXOLOGUE REBELLE

Voici quelques-uns des objets vedettes qui devraient se trouver dans tout bar maison. Pour plus d'informations, visitez le www.espacecocktail.com

Les ustensiles
Le shaker
La passoire à glaçons
La pince à glaçons
Le doseur
Le pilon
Le zesteur
La cuillère à mélange

Les verres
Le verre à martini
La flûte
Le verre tulipe
Le verre à shooter
Le highball
Le verre old-fashioned
Le verre Toddy
Le verre à margarita
Le verre à cognac
Le verre inao

Les autres ingrédients
Angostura Bitter's
Bar mix
Cerises au marasquin
Lime cordial
Olives vertes
Sauce Tabasco
Sauce Worcestershire
Sel de céleri

Le Cooler
Pastèque

Melon d'eau (1)
Menthe fraîche 10 feuilles
Gingembre frais (au goût)
Glaçons
Vodka 210 ml (7 oz)
Soda au gingembre 360 ml (12 oz)

Préparation_Rendement _ **6 à 8 cocktails**
Mettre la chair de melon au robot et réduire en purée. Passer cette purée
à travers un tamis. Dans un pichet, ajouter ce jus aux feuilles de menthe
pilonnées et au gingembre râpé. Remplir les verres de service de glaçons,
du mélange de melon puis ajouter 30 ml (1 oz) de vodka par verre et
compléter avec le soda au gingembre. Servir avec une paille funky.

//////**Accord Mix-Bouffe : Pavlova** (Zeste.tv)

//////Accord Mix-Bouffe : Harengs à la Moujiik (Zeste.tv)

Le Martini
Mickey

Melon d'eau 30 ml (1 oz)
Vodka 60 ml (2 oz)
Sirop d'érable 30 ml (1 oz)
Glaçons

Préparation_Rendement_**1 cocktail**
Mélanger au shaker la chair de melon avec les
ingrédients et servir immédiatement.
Décorer avec une rondelle de melon.

Le Martini Sushi

Préparation_Rendement_1 cocktail

Congeler les verres de service pendant 1 heure. Mélanger au shaker tous les ingrédients et servir immédiatement. Décorer d'une tranche de concombre.

Saké 30 ml (1 oz)
Vodka 30 ml (1 oz)
Gin 10 ml (1/3 oz)
Concombre

//////Accord Mix-Bouffe : Sushis du Cuisinier rebelle (Zeste.tv)

Le Martini
Madagascar

/////Accord Mix-Bouffe : Havana-Banana (CR1, page 82)

Canneberges séchées 15 ml (1 c. à soupe)
Graines de vanille
Vodka 60 ml (2 oz)
Sirop d'érable 10 ml (1/3 oz)

Préparation_Rendement_**1 cocktail**
Dans un shaker, écraser au pilon une c. à soupe de canneberges et
quelques graines de vanille. Ajouter tous les autres ingrédients, bien
mélanger et servir immédiatement. Décorer de quelques canneberges.

Le Piña Martini

Préparation_Rendement_1 cocktail
Mélanger au shaker tous les ingrédients sauf la tranche d'ananas, filtrer et servir immédiatement. Décorer d'une tranche d'ananas.

Jus d'ananas 30 ml (1 oz)
Lait de coco 45 ml (1 1/2 oz)
Vodka 45 ml (1 1/2 oz)
Sirop de canne 30 ml (1 oz)
Glaçons
Ananas 1 tranche

//////Accord Mix-Bouffe : Homards diaboliques (CR1, page 136)

Le **Cupidon**

Jus de lime - Sucre de canne
Sirop de cassis 1 trait
Liqueur de framboise 30 ml (1 oz)
Mousseux 120 ml (4 oz)

Préparation_Rendement_2-3 cocktails
Tremper les bords du verre de service dans le jus de lime puis dans le sucre
de canne. Mélanger au shaker tous les autres ingrédients sauf le mousseux,
filtrer et servir. Compléter avec le mousseux et décorer de quelques pétales
de rose comestibles

//////**Accord Mix-Bouffe : Patate-dictines avec béchamel** (Zeste.tv)

Le **Hulk**

Eau bouillante 450 ml (15 oz)
Jell-O vert 1 paquet
Miel 15 ml (1 c. à soupe)
Vodka 600 ml (20 oz)

Préparation_Rendement_**2 à 4 shots**
Ajouter l'eau bouillante au Jell-O et au miel.
Remuer jusqu'à ce que ce soit bien mélangé.
Ajouter 3 cubes de glace et la vodka.
Verser dans un verre de service.
Placer au congélateur pendant 1 heure.

Le Punch
L'été des Indiens

Préparation_Rendement_10 à 12 personnes

Couper en quartiers la pomme, la pêche et les concombres. Dans un bol à punch, combiner tous les ingrédients sauf le soda tonique, l'eau minérale et la glace. Réfrigérer pendant 4 heures. Au moment de servir, ajouter les autres ingrédients. Décorer avec les feuilles de menthe.

Gin 1 bouteille de 750 ml
Liqueur amère 750 ml
Liqueur de fleurs de sureau 240 ml (8 oz)
Liqueur de pêche 240 ml (8 oz)
Limoncello 720 ml (24 oz)
Jus de pomme 480 ml (16 oz)
Soda tonique 960 ml (32 oz)
Eau gazéifiée 480 ml (16 oz)
Pomme verte (1)
Pêche (1)
Concombres (2)
Menthe fraîche

/////// Accord Mix-Bouffe : Spag à la Grecque (CR1, page 96)

Le Punch **Tatie**

Rhum brun 270 ml (9 oz)
Jus d'ananas 180 ml (6 oz)
Sirop d'érable 150 ml (5 oz)
Jus de lime 120 ml (4 oz)
Mousseux bien frais 150 ml (5 oz)
Framboises 1 poignée
Limes en quartiers (2)

Préparation_Rendement_**6 personnes**
Dans un pichet, combiner le rhum, le jus d'ananas, le sirop d'érable et le jus de lime.
Réfrigérer 4 heures. Ajouter les glaçons, le mousseux et mélanger doucement.
Décorer avec les framboises et les quartiers de limes. Servir immédiatement.

//////**Accord Mix-Bouffe : Quesadillas de la muerte** (CR1, page 86)

Le Marilyne

Jell-O à l'orange 1 paquet
Eau bouillante 240 ml (8 oz)
Liqueur de pêche 120 ml (4 oz)
Rhum blanc 120 ml (4 oz)

Préparation_Rendement_2 ou 3 cocktails
Mélanger l'eau bouillante au Jell-O au moins 2 minutes
jusqu'à dissolution. Ajouter la liqueur de pêche et
le rhum. Réfrigérer 4 heures puis servir.

Le Martini **Pesto**

Basilic 6 feuilles écrasées
Vodka 120 ml (4 oz)
Vermouth 30 ml (1 oz)
Glaçons

Préparation_Rendement_**1 cocktail**
Mélanger le basilic et la vodka. Laisser infuser 4 heures ou toute la nuit.
Au moment de servir, mettre ce mélange et les autres ingrédients au shaker
et mélanger pendant 1 minute. Filtrer et servir.

//////Accord Mix-Bouffe : Linguines Broco-Saucisse (CR1, page 66)

Le Cybernétique

Sirop d'érable 90 ml (3 oz)
Litchis 1 boîte
Rhum 600 ml (20 oz)
Jus de lime 150 ml (5 oz)
Glace pilée

Préparation_Rendement_**10 à 12 personnes**
Dans un bol à punch, combiner le sirop et les litchis.
Ajouter le rhum, le jus de lime et la glace pilée. Bien mélanger et servir.

Le **Rubis**

Lime (1)
Sucre de canne
Vodka 30 ml (1 oz)
Liqueur d'agrumes 15 ml (1/2 oz)
Jus de pomme grenade 45 ml (1 1/2 oz)
Glaçons

Préparation_Rendement_1 cocktail
Mouiller le rebord d'un verre du jus de la lime. Tremper le verre dans le sucre.
Combiner tous les autres ingrédients dans un shaker pendant 20 secondes.
Verser dans le verre décoré d'une tranche de lime et de quelques graines
de pomme grenade.

////// Accord Mix-Bouffe : Asperges Serrano (CR1, page 89)

Le Sabbatique

/////Accord Mix-Bouffe ›Jamaïcan Cône (CR1, page 76)

Menthe fraîche
Angostura Bitter 5 ml (1/6 oz)
Sirop de canne 10 ml (1/3 oz)
Tequila 45 ml (1 1/2 oz)
Club soda
Lime (1/2)

Préparation_Rendement_1 cocktail
Dans un verre de service, écraser quelques feuilles de menthe
et la lime au pilon et combiner avec l'Angostura et le sirop.
Ajouter les glaçons et la tequila. Compléter avec du club soda
et décorer avec un quartier de lime.

L'Odeur de la
Papaye Verte

Mousseux 75 ml (2 1/2 oz)
Basilic 2 feuilles
Kiwi (1/2)
Gin 45 ml (1 1/2 oz)
Sirop de canne 20 ml (2/3 oz)
Jus de lime 10 ml (1/3 oz)

Préparation_Rendement_**1 cocktail**
Verser le mousseux dans une flûte.
Écraser dans un shaker au pilon le basilic
et la chair d'un demi kiwi. Mélanger tous
les autres ingrédients et verser dans la flûte.

//////**Accord Mix-Bouffe : Salade Cousteau** (CR1, page 48)

Le Martini
Lagon Bleu

Gin 60 ml (2 oz)
Curaçao 30 ml (1 oz)
Jus de citron 15 ml (½ oz)
Glaçons
Citron 1 tranche

Préparation_Rendement_ 1 ou 2 cocktails
Mélanger au shaker tous les ingrédients et servir immédiatement.
Décorer d'une tranche de citron.

//////Accord Mix-Bouffe : Chili Gonzalez (Zeste.tv)

Le **Oxford**

Liqueur de café 15 ml (1/2 oz)
Liqueur d'anis 15 ml (1/2 oz)

Préparation_Rendement_**1 shot**
Mélanger ce classique dans un verre et servir.

Le Cherry
Blossom

Vodka 30 ml (1 oz)
Liqueur de noisette 15 ml (1/2 oz)
Liqueur de chocolat 15 ml (1/2 oz)
Grenadine 1 trait

Verser tous les ingrédients dans un verre rempli de glace.

//////Accord Mix-Bouffe : Sorbet Jack & Coke (CR1, page 163)

P041

Le Bipolaire

Jus de lime 15 ml (1/2 oz)
Triple sec 15 ml (1/2 oz)
Vodka 15 ml (1/2 oz)
Curaçao quelques gouttes

Préparation_Rendement_2 shots
Mélanger au shaker tous les ingrédients sauf le curaçao et
servir dans des verres à shooter. Ajouter quelques gouttes
de curaçao par verre.

Le Concubine

Liqueur d'agrumes 20 ml (2/3 oz)
Jus d'orange 15 ml (1/2 oz)
Limonade pétillante 10 ml (1/3 oz)
Grenadine quelques gouttes

Préparation_Rendement_**2 shots**
Mélanger au shaker tous les ingrédients sauf la grenadine et
servir dans des verres à shooter. Compléter avec la grenadine.

Le Roulette **Russe**

Vodka 15 ml (1/2 oz)
Liqueur amère 15 ml (1/2 oz)
Citron 1/2 tranche
Sucre
Liqueur d'anis 15 ml (1/2 oz)

Préparation_Rendement_1 shot

Verser la vodka et ensuite la liqueur amère, tremper la tranche de citron dans le sucre et déposer sur le verre à shooter, à la moitié. Flamber la liqueur d'anis et verser délicatement dans le verre.
ATTENTION : ÇA DÉBORDE ET ÇA BRÛLE !!!

Le Saint-Graal

//////Accord Mix-Bouffe : Tarte aux fromages perdus (CR1, page 42)

Limonade 60 ml (2 oz)
Absinthe 30 ml (1 oz)
Curaçao 30 ml (1 oz)
Glaçons

Préparation Rendement_1 ou 2 cocktails
Verser dans un verre de service rempli de glaçons
et bien mélanger.

Le Kir **Royal**

Crème de cassis 2 traits
Mousseux

Préparation_Rendement_1 cocktail
Mélanger délicatement les ingrédients et servir.

//////Accord Mix-Bouffe : Cylindre saumon et caviar (CR1, page 37)

/////Accord Mix-Bouffe : Tuiles au caramel (Zeste.tv)

L'Adonis

Angostura Bitter 2 traits
Sherry 60 ml (2 oz)
Vermouth 30 ml (1 oz)

Préparation_Rendement_**1 cocktail**
Mélanger au shaker tous les ingrédients
et servir immédiatement.

Vodka 750 ml (3 tasses)
Eau gazéifiée au citron 2 l (8 tasses)

Préparation_Rendement_**10 à 12 cocktails**
Combiner tous les ingrédients sauf l'eau gazéifiée et mettre au mélangeur à puissance élevée jusqu'à obtenir une consistance de slush. Au besoin, ajuster la consistance avec de la glace pilée. Mettre 2 c. à soupe de slush par verre et compléter avec l'eau gazéifiée.

///////**Accord Mix-Bouffe : Havana Banana** (CR1, page 82)

Le Frivole

Liqueur amère 15 ml (1/2 oz)
Jus de pamplemousse rose 15 ml (1/2 oz)
Jus de litchi 15 ml (1/2 oz)
Mousseux

Préparation Rendement 1 cocktail
Verser la liqueur amère (type Campari), le jus de pamplemousse
et le jus de litchi dans une flûte glacée.
Compléter avec le mousseux.

///////Accord Mix-Bouffe : Dattes au bacon (CR1, page 45)

Le **Benacquista**

Café chaud 120 ml (4 oz)
Liqueur de noisette 45 ml (1 ½ oz)
Boisson à la crème irlandaise 30 ml (1 oz)
Liqueur de café 30 ml (1 oz)
Crème 15% 30 ml (1 oz)

Préparation_Rendement_**1 ou 2 cocktails**
Verser tous les ingrédients dans une grande tasse dont vous aurez
préalablement trempé les bords dans du sucre de canne. Servir.

/////Accord Mix-Bouffe : Tiramisu du Cuisinier rebelle (CR1, page 165)

Le Cappuccino **Pervers**

P053

Préparation Rendement 1 ou 2 cocktails
Mélanger tous les ingrédients dans un grand verre et coiffer de crème fouettée.

Amaretto 15 ml (1/2 oz)
Café 125 ml (1/2 tasse)
Chocolat chaud 125 ml (1/2 tasse)
Liqueur de café 15 ml (1/2 oz)
Crème fouettée

Le Cidre **des Caraïbes**

/////Accord Mix-Bouffe : Veau acide-citrique (CR1, page 125)

Mélanger dans une grande tasse. Mettre au micro-ondes 1 minute et demie et servir dans un verre élégant.

Préparation_Rendement_1 ou 2 cocktails

Rhum brun 30 ml (1 oz)
Cidre de pomme 45 ml (1 ½ oz)

L'Après-midi

Café chaud 120 ml (4 oz)
Liqueur de noisette 45 ml (1 ½ oz)
Liqueur de café 30 ml (1 oz)
Boisson à la crème irlandaise 30 ml (1 oz)

Préparation_Rendement_**2 ou 3** cocktails
Verser dans un grand verre décoré de sucre et ajouter de la crème 15% au goût.

Le Niçois

Sucre 60 ml (4 c. à soupe)
Brandy 60 ml (2 oz)
Vin rouge 2 bouteilles de 750 ml
Fraises congelées 2 paquets
Cannelle moulue 15 ml (1 c. à soupe)
Eau chaude 1 l (4 tasses)
Ananas 2 boîtes

Préparation Rendement 10 personnes
Chauffer légèrement tous les ingrédients dans une casserole sauf l'eau
chaude et les ananas, les ajouter juste avant de servir dans un grand pichet.

/////Accord Mix-Bouffe : Salade Sud-Ouest (Zeste.tv)

Sangria Medellín

////// Accord Mix-Bouffe : Poulet BBQ à la G (CR1, page 92)

Préparation_Rendement_20 personnes

Porter à ébullition, 2.5 l de vin blanc, 150 ml de sucre, la cannelle,les clous de girofle et le poivre blanc. Retirer du feu et laisser infuser 1 heure. Trancher les oranges, les pêches, les citrons et réserver. Dans un grand bol, verser l'infusion, le reste du vin, le reste du sucre et la liqueur d'agrumes. Ajouter les fruits. Bien mélanger. Réfrigérer le mélange pendant 4 heures. Au moment de servir, ajouter l'eau gazéifiée et la limonade.

Vin blanc sec 5 l (20 tasses)
Sucre 325 ml (1 1/2 tasse) - **Cannelle** (5 pincées)
Clous de girofle (3) - **Poivre blanc** (1 pincée)
Oranges (3) - **Pêches** (5) - **Citrons** (2)
Liqueur d'agrumes 150 ml (5 oz)
Eau gazéifiée 210 ml (7 oz)
Limonade bien froide 1 l (4 tasses)

Le Katana

Jus de canneberge 90 ml (3 oz)
Jus d'orange 60 ml (2 oz)
Jus d'ananas 60 ml (2 oz)
Rhum à la noix de coco 45 ml (1 1/2 oz)
Liqueur de pêche 15 ml (1/2 oz)
Cerise sucrée (1)

Préparation_Rendement_**1 ou 2 cocktails**
Mélanger tous les ingrédients et ajouter des glaçons. Garnir d'une cerise.

//////Accord Mix-Bouffe : Crapaudine paprika lime (CR1, page 130)

Le Barracuda

Amaretto 15 ml (1/2 oz)
Gin 15 ml (1/2 oz)
Liqueur de pêche et de bourbon 15 ml (1/2 oz)
Jus d'orange 15 ml (1/2 oz)
Glaçons

Préparation_Rendement_**2 shots**
Mélanger au shaker tous les ingrédients, filtrer et servir immédiatement dans des verres à shooter.

L'Elvis Gratton

Jus d'ananas 90 ml (3 oz)
Rhum brun 45 ml (1 1/2 oz)
Jus de pamplemousse 30 ml (1 oz)
Glaçons
Eau gazéifiée

Préparation_Rendement_**1 cocktail**
Mélanger au shaker tous les ingrédients sauf l'eau gazéifiée.
Verser dans un verre de service et compléter avec l'eau gazéifiée.

//////Accord Mix-Bouffe : **Sexy poutine** (Zeste.tv)

Le Pitt Bull

///// Accord Mix-Bouffe : Dumplings citronnelle et coriandre (Zeste.tv)

Gin 60 ml (2 oz)
Jus d'orange 60 ml (2 oz)
Soda au gingembre
Glaçons

Préparation_Rendement_**1 cocktail**
Mélanger tous les ingrédients dans un verre de service
rempli de glaçons et compléter avec le soda au gingembre.

L'EUROPA

Préparation_Rendement_1 ou 2 cocktails

Congeler les verres de service pendant 1 heure.
Mélanger au shaker tous les ingrédients sauf la limonade
pétillante et la grenadine. Verser dans les verres remplis de glace
et compléter avec la limonade et un trait de grenadine.

//////Accord Mix-Bouffe : Salade d'orzo (Zeste.tv)

Rhum 60 ml (2 oz)
Liqueur d'agrumes 45 ml (1 1/2 oz)
Jus d'ananas 45 ml (1 1/2 oz)
Limonade pétillante 60 ml (2 oz)
Grenadine 1 trait

Le 77e Ciel

Préparation_Rendement_1 cocktail

Mélanger tous les ingrédients au shaker avec des glaçons,
verser dans un verre de service et décorer d'une feuille de menthe.

//////Accord Mix-Bouffe : Poulet tikka (CR1, page 57)

Gin 45 ml (1 1/2 oz)
Liqueur de framboise 10 ml (1/3 oz)
Jus de pamplemousse 10 ml (1/3 oz)
Menthe 1 feuille

Le Rustique

Bourbon ou whisky 45 ml (1 1/2 oz)
Liqueur d'agrumes 15 ml (1/2 oz)
Jus de citron 30 ml (1 oz)
Limonade pétillante 240 ml (8 oz)
Citron 1 tranche

Préparation_Rendement_1 cocktail
Verser tous les ingrédients dans un verre rempli
de glaçons et servir décoré d'une tranche de citron.

//////Accord Mix-Bouffe : Zuchinis farcis (Zeste.tv)

La Sangria Viva

Liqueur de cerise 240 ml (8 oz)
Amer à la pêche 30 ml (1 oz)
Cerises sucrées 250 ml (1 tasse)
Pêches 2 coupées en morceaux
Mousseux 1,5 l (2 bouteilles)

Préparation_Rendement_**10 à 12 personnes**
Verser la liqueur et l'amer sur les fruits disposés dans un bol.
Mélanger et couvrir. Réfrigérer pendant 4 à 5 heures.
Ajouter le mousseux et remuer doucement. Mettre quelques glaçons.

//////Accord Mix-Bouffe : Tajine du Maghreb aux pruneaux (CR1, page 156)

Le Grenouille

Gin 60 ml (2 oz)
Sherry 15 ml (1/2 oz)
Liqueur d'herbes 15 ml (1/2 oz)

Préparation_Rendement_**1 cocktail**
Mélanger au shaker tous les ingrédients et servir immédiatement sur des glaçons.

///////**Accord Mix-Bouffe : Tour de légumes grillés** (CR1, page 79)

Le Papa **Doble**

Rhum blanc 60 ml (2 oz)
Jus de lime 30 ml (1 oz)
Jus de pamplemousse 15 ml (1/2 oz)
Miel 15 ml (1/2 oz)
Basilic 2 feuilles déchirées
Liqueur de cerise 1 trait
Lime 1 quartier

Préparation_Rendement_**1 cocktail**
Mélanger tous les ingrédients au shaker avec des glaçons et
servir. Décorer avec un quartier de lime et une feuille de basilic.

/////Accord Mix-Bouffe : Salade de tortellinis tricolores (Zeste.tv)

Le Fraisinette

Eau 2 l (8 tasses)
Sirop de canne 250 ml (1 tasse)
Mélange à daiquiri 1 boîte
Vodka 480 ml (16 oz)
Jus d'orange congelé 1 boîte
Fraises décongelées 1 paquet
Eau gazéifiée au citron 2 l (8 tasses)

Préparation_Rendement_10 à 12 cocktails
Combiner les ingrédients sauf l'eau gazéifiée et mettre au robot jusqu'à obtenir
une consistance de slush. Au besoin, ajuster avec de la glace pilée. Mettre
3 c. à soupe de slush par verre et compléter avec l'eau gazéifiée.

//////Accord Mix-Bouffe : Salade de maïs et de tomates cerise (Zeste.tv)

Le Rougemont

//////Accord Mix-Bouffe : Filet de porc 7 épices (Zeste.tv)

Gin 45 ml (1 1/2 oz)
Jus de lime 20 ml (2/3 oz)
Jus de pomme 30 ml (1 oz)
Miel 15 ml (1/2 oz)
Feuilles de basilic (2)

Préparation_Rendement_**1 cocktail**
Déchirer les feuilles de basilic, les mettre avec tous les ingrédients
dans le shaker avec des glaçons et mélanger jusqu'à ce que le cocktail
soit bien froid. Filtrer et servir immédiatement.

//////Accord Mix-Bouffe : Trottoirs frangipanes (Zeste.tv)

Le **Choco** Martini

Chocolat mi-amer fondu 2 carrés
Vodka 30 ml (1 oz)
Crème de cacao 30 ml (1 oz)
Glaçons

Préparation_Rendement_**1 cocktail**
Tremper les bords d'un verre de service dans le chocolat fondu et mettre
au réfrigérateur pendant 1 heure. Mélanger tous les autres ingrédients au shaker,
filtrer et servir dans le verre refoidi.

Le **Cookie** Monster

Sirop d'érable un peu dans une soucoupe
Biscuits graham écrasés
Rhum brun 60 ml (2 oz)
Vodka 15 ml (1/2 oz)
Lait de poule 90 ml (3 oz)
Glaçons
Crème fouettée

Préparation_Rendement_**1 ou 2 cocktails**
Tremper les bords du verre de service dans le sirop et dans
les biscuits graham écrasés. Mélanger au shaker tous les autres
ingrédients, filtrer et servir immédiatement. Garnir de crème fouettée.

//////Accord Mix-Bouffe : Meilleurs muffins aux bananes du monde (CR1, page 30)

Le Poire **Royale**

Eau-de-vie de poire 15 ml (1/2 oz)
Crème de pêche 15 ml (1/2 oz)
Cordial de lime 5 ml (1 c. à thé)
Mousseux
Poire 1 tranche

Préparation_Rendement_**1 cocktail**
Verser l'eau-de-vie de poire, la crème de pêche et le cordial
de lime dans un verre de service. Compléter lentement
avec le mousseux et décorer avec la poire.

//////**Accord Mix-Bouffe : Paupiettes des Épicurieux** (CR1, page 120)

Le Martini
Aigre-doux

Caramel balsamique 15 ml (1 c. à soupe)
Fraises (4)
Vodka 120 ml (4 oz)
Jus d'orange 120 ml (4 oz)
Orange (1)

Préparation_Rendement_4 cocktails
Congeler les verres de service pendant 1 heure. Pendant ce temps, dans
une poêle, faire réduire le vinaigre balsamique à feu vif en y ajoutant un
peu de sucre. Rouler chacune des fraises dans ce caramel et déposer
une fraise par verre de service. Ajouter 1 oz de vodka et 1 oz de jus
d'orange par verre et décorer chaque verre d'une tranche d'orange.

Accord Mix-Bouffe_Crème des pommes de terre du Cuisinier rebelle (Zeste.tv)

Martini Les
Diamants Éternels

Glace pilée
Liqueur d'agrumes 15 ml (1/2 oz)
Crème de cassis 15 ml (1/2 oz)
Liqueur de noisette 15 ml (1/2 oz)
Jus de citron 10 ml (2 c. à thé)
Eau gazéifiée
Mûres (2 - 3)

Préparation_Rendement_**1 cocktail**
Mettre de la glace pilée dans un verre. Ajouter jusqu'à la moitié la liqueur
d'agrumes, la crème de cassis, la liqueur de noisette et le jus de citron.
Compléter avec l'eau gazéifiée et garnir de quelques mûres.

Le Martini
Kanye West

Vodka 15 ml (1/2 oz)
Rhum à la noix de coco 30 ml (1 oz)
Jus de lime 15 ml (1/2 oz)
Glaçons
Lime (1)

Préparation_Rendement_**1 cocktail**
Mélanger au shaker tous les ingrédients, filtrer et servir immédiatement. Garnir du zeste de la lime.

//////Accord Mix-Bouffe : Rap thaï rebelle (CR1, page 63)

Granite di Limone

Préparation_Rendement_**10 à 12 cocktails**

Infuser les sachets de thé dans l'eau bouillante pendant 3 minutes. Retirer les sachets et y dissoudre le sucre sur un feu modéré. Ajouter les jus congelés et le brandy. Bien mélanger, retirer du feu et, dans un contenant approprié, congeler toute la nuit. Au moment de servir, mettre au mélangeur à puissance élevée jusqu'à obtenir une consistance de slush. Servir 2 c. à soupe par verre et compléter avec l'eau gazéifiée.

Thé 4 sachets
Eau bouillante 1 l (4 tasses)
Sucre 250 ml (1 tasse)
Limonade congelée 1 boîte
Jus d'orange congelé 1 boîte
Brandy 480 ml (16 oz)
Eau gazéifiée au citron 2 l (8 tasses)

Le Baise-moi

Liqueur à la vanille et aux herbes 30 ml (1 oz)
Gin 30 ml (1 oz)
Liqueur de pêche et de bourbon 30 ml (1 oz)
Vodka 30 ml (1 oz)
Jus d'orange 90 ml (3 oz)

Préparation_Rendement_1 ou 2 cocktails
Verser dans un verre de service et remplir de jus d'orange. Remuer.

//////Accord Mix-Bouffe : Polenta à la caponata (CR1, page 106)

Le Manhattan Bourbon

/////Accord Mix-Bouffe : Poulet croustillant du général Tao (Zeste.tv)

Préparation_Rendement_1 cocktail
Mélanger tous les ingrédients dans un verre rempli de glace.

Bourbon 45 ml (1 oz)
Vermouth rouge 15 ml (1/2 oz).
Angostura Bitter 2 gouttes
Cerises au marasquin (au goût)

Le Jacques-Cartier

Vermouth 60 ml (2 oz)
Whisky 30 ml (1 oz)
Jus de citron 15 ml (1/2 oz)
Citron 1 tranche
Glaçons

Préparation_Rendement_**1 cocktail**
Mélanger au shaker tous les ingrédients et servir immédiatement.
Garnir d'une tranche de citron.

//////Accord Mix-Bouffe : Poulet Versailles (Zeste.tv)

Le Donkey Kong

Préparation_Rendement 1 cocktail

Mélanger au robot tous les ingrédients sauf la cerise à basse vitesse pendant 5 secondes, puis à grande vitesse jusqu'à consistance désirée. Verser dans un verre de service. Garnir d'une cerise.

Jus de lime 45 ml (1 1/2 oz)
Rhum blanc 45 ml (1 1/2 oz)
Banane (1)
Sucre 5 ml (1 c. à thé)
Triple sec 15 ml (1/2 oz)
Glaçons
Cerise fraîche (1)

//////**Accord Mix-Bouffe : Profiteroles à la toblerone** (CR1, page 116)

Le Nuit **Blanche**

Liqueur d'agrumes 30 ml (1 oz)
Liqueur à la vanille 30 ml (1 oz)
Liqueur de fraise 30 ml (1 oz)
Red Bull 30 ml (1 oz)

Préparation_Rendement_**1 cocktail**
Verser les ingrédients sur un peu de glace pilée dans un verre de service.

//////**Accord Mix-Bouffe : Saumon verni au gingembre** (CR1, page 72)

Le Voodoo Punch

//////Accord Mix-Bouffe : Ragoût des champs (CR1, page 149)

Préparation_Rendement_20 personnes

Amener l'eau, la cassonade, le gingembre, le piment et la cannelle à ébullition dans une casserole.
Réduire le feu et laisser mijoter à couvert pendant 30 minutes. Filtrer et transférer dans un bol à punch.
Réfrigérer pendant 4 heures. Ajouter la vodka, le rhum, les jus de fruits, les tranches de citron
et de la glace. Bien mélanger et servir.

Eau 500 ml (2 tasses)
Cassonade 250 ml (1 tasse)
Gingembre 7 cm, pelé et émincé
Piment de la Jamaïque 30 ml (2 c. à soupe)
Cannelle 1 bâton
Vodka 750 ml
Rhum 750 ml
Jus d'orange 500 ml (2 tasses)
Jus d'ananas 125 ml (1/2 tasse)
Citron 10 tranches

Bangkok

Soda au gingembre 120 ml (4 oz)
Rhum blanc 60 ml (2 oz)
Citron 1 tranche

Préparation_Rendement_**1 ou 2 cocktails**
Verser. tous les ingrédients sur des glaçons dans un verre
de service et remuer.

//////**Accord Mix-Bouffe : Pinxto mangue-crevettes** (CR1, page 80)

Le Guérilla

Coriandre 4 branches
Tequila 60 ml (2 oz)
Chair d'un demi avocat
Jus de lime 15 ml (1/2 oz)
Miel 10 ml (1/3 oz)

Préparation_Rendement_**1 cocktail**
Mettre tous les ingrédients avec de la glace
dans un mélangeur. Mélanger à grande
vitesse pendant 10 secondes et verser dans
un verre de service. Garnir de quelques
feuilles de coriandre.

/////Accord Mix-Bouffe : **Maki italien** (CR1, page 138)

Le **Cornichon**

Sauce piquante 6 traits
Sauce Worcestershire 6 traits
Saumure d'olive 3 traits
Jus de cornichon 4 traits
Vodka 45 ml (1,5 oz)
Sel de céleri - Poivre - Sel
Jus de tomate 90 ml (3 oz)
Lime 5 ml (1 c. à thé)

Préparation_Rendement_**1 cocktail**
Mélanger au shaker tous les ingrédients avec de la glace et
servir immédiatement. Décorer d'olives, de cornichons et
d'une tranche de lime.

//////Accord Mix-Bouffe : Tartare de bœuf (Zeste.tv)

Le Hilton

Jus de canneberge 15 ml (1/2 oz)
Liqueur d'agrumes 7,5 ml (1/4 oz)
Jus de lime 1 trait
Mousseux 150 ml (5 oz)

Préparation_Rendement_1 cocktail
Mélanger tous les ingrédients dans une flûte et servir.

//////Accord Mix-Bouffe : Baluchons Stroganoff (CR1, page 40)

Le Brouillard

Eau bouillante 120 ml (4 oz)
Liqueur d'agrumes 60 ml (2 oz)
Thé 1 sachet
Citron 1 tranche

Préparation_Rendement_**2 cocktails**
Verser l'eau bouillante dans un verre de service.
Infuser le sachet de thé dans le verre pendant 3 minutes.
Ajouter la liqueur d'agrumes. Servir avec une tranche de citron.

////// Accord Mix-Bouffe : Borsh urkrainien (Zeste.tv)

P093

Le Calva-chic

Brandy de pomme 15 ml (1/2 oz)
Jus de pomme 15 ml (1/2 oz)
Mousseux 150 ml (5 oz)

Préparation_Rendement_**1 cocktail**
Verser le brandy et le jus de pomme dans un verre de service glacé. Compléter avec le mousseux.

Le Mai Tai

Rhum brun 30 ml (1 oz)
Rhum blanc 30 ml (1 oz)
Triple Sec 30 ml (1 oz)
Jus d'une lime
Sirop de canne 1 trait
Jus d'une orange

Préparation_Rendement_**1 à 2 cocktails**
Verser tous les ingrédients dans un verre
rempli de glace.

//////**Accord Mix-Bouffe : Salade Cousteau** (CR1, page 48)

Mambo Milano

Préparation_ Rendement : 1 ou 2 cocktails

Mélanger le thé et la liqueur d'anis (type Sambuca) dans une grande tasse. Mettre au micro-ondes 1 minute avec le sucre, remuer et servir dans un verre élégant.

Thé noir infusé 240 ml (8 oz)
Liqueur d'Anis 30 ml (1 oz)
Sucre 5 ml (1 c. à thé)

Martini des Champs

Préparation. Rendement 1 cocktail

Écraser au pilon 4 des 5 fraises dans un shaker. Ajouter tous les ingrédients sauf le club soda, bien mélanger et servir immédiatement. Décorer avec la fraise restante et compléter avec le club soda.

Fraises (5)
Glaçons
Vodka 60 ml (2 oz)
Sirop d'érable 10 ml (1/3 oz)
Club soda 150 ml (5 oz)

Le 450

Sucre 1 morceau
Angostura Bitter 1 trait
Cognac 30 ml (1 oz)
Mousseux

Préparation. Rendement. **1 cocktail**
Déposer le morceau de sucre dans une flûte glacée. Ajouter un trait d'Angostura puis le cognac. Compléter lentement avec le mousseux.

/////Accord Mix-Bouffe : Ceviche du Cuisinier rebelle (Zeste.tv)

Le CH

Jus de pomme 120 ml (4 oz)
Brandy 60 ml (2 oz)
Sirop de canne 5 ml (1 c. à thé)
Jus de lime 15 ml (1/2 oz)
Rhum brun 60 ml (2 oz)
Lime 1 tranche

Préparation_Rendement_**1 cocktail**
Congeler les verres de service pendant 1 heure. Mélanger au
shaker tous les ingrédients sauf le rhum. Verser dans les verres
remplis de glaçons et ajouter le rhum sur le dessus.
Garnir d'une tranche de lime.

/////Accord Mix-Bouffe : Poulet piquant (CR1, page 122)

Le **Dubuc**

Liqueur d'agrumes 60 ml (2 oz)
Brandy de pomme 30 ml (1 oz)
Triple sec 30 ml (1 oz)

Préparation_Rendement_**2 shots**
Mélanger au shaker tous les ingrédients et servir immédiatement
dans des verres à shooter.

//////Accord Mix-Bouffe : Carré d'agneau en croûte d'herbes (CR1, page 148)

Le Punch Torino

Sirop de canne 45 ml (2 1/2 oz)
Rhum brun 180 ml (6 oz)
Brandy 120 ml (4 oz)
Liqueur de pêche 60 ml (2 oz)
Thé noir refroidi 120 ml (4 oz)
Jus de citron 120 ml (4 oz)
Eau froide 120 ml (4 oz)
Zeste d'orange

Préparation_Rendement_**6 à 8 personnes**
Mettre tous les ingrédients sauf l'eau et le zeste dans une grande bouteille
étanche. Bien mélanger. Ajouter l'eau et mélanger de nouveau.
Réfrigérer 4 heures. Servir sur des glaçons en décorant du zeste.

//////**Accord Mix-Bouffe : Tonton Tartare** (CR1, page 108)

Le Banana Colada

Jus d'ananas 240 ml (8 oz)
Banane (1)
Rhum blanc 30 ml (1 oz)
Liqueur de banane 15 ml (1/2 oz)
Rhum à la noix de coco (type Malibu) 15 ml (1/2 oz)

Préparation_Rendement_**1 cocktail**
Mélanger au robot avec un peu de glace pilée et verser dans un verre
à cocktail. Garnir d'une tranche d'ananas ou de cerises sucrées.

//////**Accord Mix-Bouffe : Porc à la créole** (CR1, page 126)

Le Ski de Chalet

Lait de poule 120 ml (4 oz)
Liqueur à la cannelle 30 ml (1 oz)
Framboise (1)

Préparation_Rendement_1 cocktail
Mélanger dans un verre de service et décorer d'une framboise.

//////Accord Mix-Bouffe : **Profiteroles à la toblerone** (CR1, page 116)

Le BBQ

Préparation_Rendement_3 cocktails

Mélanger dans les verres de service et compléter avec la bière.

Jus de tomate 120 ml (4 oz)
Sauce BBQ fumée 5 ml (1 c. à thé)
Whisky 90 ml (3 oz)
Jus de lime 5 ml (1 c. à thé)
Bière blonde 1 bouteille

//////Accord Mix-Bouffe : Khebab sauce-menthe yogourt (Zeste.tv)

//////Accord Mix-Bouffe: Pennes en colère (CR1, page 70)

Le Camaro

Jus d'une lime
Sirop de canne 5 ml (1 c. à thé)
Gin 15 ml (1/2 oz)
Rhum 15 ml (1/2 oz)
Tequila 15 ml (1/2 oz)
Triple sec 15 ml (1/2 oz)
Vodka 15 ml (1/2 oz)
Glaçons

Préparation_Rendement_**1 à 2 cocktails**
Mélanger au shaker tous les ingrédients, filtrer et servir immédiatement.

Le MacEnroe

Vodka 45 ml (1 1/2 oz)
Liqueur de cassis 10 ml (1/3 oz)
Jus de pomme grenade 30 ml (1 oz)
Jus de lime 15 ml (1/2 oz) - **Tranche de lime** (1)
Mousseux

Préparation_Rendement_1 cocktail
Congeler les verres de service pendant 1 heure. Mélanger au shaker tous les ingrédients sauf le mousseux. Verser dans les verres de service sur des glaçons et compléter avec le mousseux. Servir avec une tranche de lime.

/////Accord Mix-Bouffe : Pâtes noires au bleu (CR1, page 144)

Le Sylvidre

Vodka 45 ml (1 1/2 oz)
Tiple sec 15 ml (1/2 oz)
Jus d'une lime
Glaçons

Préparation_Rendement_**1 cocktail**
Mélanger au shaker tous les ingrédients, filtrer et servir.

/////Accord Mix-Bouffe : Veau de lait braisé (Zeste.tv)

Le Monaco

Préparation_Rendement_1 cocktail

Verser tous les ingrédients dans un verre rempli de glace.

Brandy 30 ml (1 oz)
Amaretto 30 ml (1 oz)
Limonade 60 ml (2 oz)
Glaçons

//////**Accord Mix-Bouffe : Porc 7 épices** (Zeste.tv)

Le Vas-y-chérie

Préparation Rendement 10 à 12 cocktails

Combiner tous les ingrédients sauf l'eau gazéifiée et mettre au mélangeur à puissance élevée jusqu'à obtenir une consistance de slush. Au moment de servir, mettre 2 c. à soupe de slush par verre et compléter avec l'eau gazéifiée.

//////Accord Mix-Bouffe : Sardines grillées (Zeste.tv)

Liqueur de brandy 480 ml (16 oz)
Jus de pamplemousse rose congelé 1 boîte
Limonade rose congelée 1 boîte
Jus de canneberge 480 ml (16 oz)
Eau gazéifiée au citron 2 l (8 tasses)

Gua-gua Punch

Menthe 80 feuilles hachées
Rhum brun 480 ml (16 oz)
Jus d'orange frais 240 ml (8 oz)
Nectar de mangue 240 ml (8 oz)
Jus d'ananas 120 ml (4 oz)
Glaçons
Ananas 8 tranches

Préparation_Rendement_**10 à 12 personnes**
Dans un bol à punch, combiner tous les ingrédients sauf les
glaçons et les tranches d'ananas. Réfrigérer 4 heures.
Bien mélanger, servir sur des glaçons et décorer avec
les tranches d'ananas.

//////Accord Mix-Bouffe : Jamaicain Cône (CR1, page 76)

//////Accord Mix-Bouffe : Poulet à la G (CR1, page 92)

L'Amaretto

Amaretto 45 ml (1 1/2 oz)
Jus de lime 30 ml (1 oz)
Sirop de canne 1 trait
Jus d'orange 15 ml (1/2 oz)
Glaçons
Cerise au marasquin (1)

Préparation_Rendement_**1 cocktail**
Mélanger au shaker tous les ingrédients sauf la
cerise, filtrer et servir avec la cerise dans un verre
décoré de sucre blanc et brun.

Le Punch Virgin
Cannelle-Orange

Jus d'orange 720 ml (24 oz)
Jus de pamplemousse 720 ml (24 oz)
Sirop de grenadine 15 ml (1 c. à soupe)
Club soda 720 ml (24 oz)

Préparation_Rendement_**10 à 12 personnes**
Dans une poêle, réduire le jus d'orange, le zeste de deux oranges et les bâtons de cannelle
sur feu moyen environ 8 minutes. Filtrer et laisser refroidir. Dans un pichet ou un grand bol,
combiner la réduction, les jus de fruits et la grenadine. Réfrigérer 4 heures. Au moment
de servir, ajouter le club soda et décorer du zeste d'oranges et de la cannelle moulue.

Réduction à l'orange :
Jus d'orange 600 ml (20 oz)
Oranges, le zeste de 2
Cannelle 3 bâtons

Le Punch
Il Mafioso

Liqueur à la vanille 480 ml (16 oz)
Liqueur amère 480 ml (16 oz)
Jus d'orange frais 240 ml (8 oz)
Prosecco 3 bouteilles de 750 ml
Orange 2 quartiers
Citron 2 quartiers
Framboises congelées 250 ml (1 tasse)

Préparation_Rendement_**10 à 12 personnes**
Dans un bol à punch, combiner les liqueurs et le jus d'orange.
Réfrigérer 4 heures. Ajouter ensuite le prosecco en mélangeant doucement.
Ajouter des glaçons et décorer avec les quartiers de fruits et les framboises.

Le Panthère
Rose

Vodka 45 ml (1 ½ oz)
Jus de canneberge 1 trait
Bar mix 1 trait
Liqueur de framboise 20 ml (2/3 oz)

Préparation_Rendement_**1 cocktail**
Mélanger au shaker avec de la glace tous les ingrédients, filtrer et servir.

//////**Accord Mix-Bouffe : Grilettes biquettes** (CR1, page 50)

Le Brunch-Punch

/////Accord Mix-Bouffe : Le Croque-coupable (Zeste.tv)

Sirop de canne 120 ml (4 oz)
Club soda 180 ml (6 oz)
Gin 300 ml (10 oz)
Jus de pamplemousse 300 ml (10 oz)
Jus de citron 180 ml (6 oz)
Vermouth 180 ml (6 oz)
Mousseux 750 ml (1 bouteille)
Pamplemousse

Préparation_Rendement_**10 à 12 personnes**
Dans un bol à punch, combiner le sirop et le club soda. Ajouter le gin,
le jus de pamplemousse et de citron ainsi que le vermouth. Réfrigérer
4 heures. Ajouter le mousseux et décorer de quartiers de pamplemousse.
Servir sur glace.

Le **KGB**

Vodka 30 ml (1 oz)
Tequila 30 ml (1 oz)
Vermouth sec 1 trait

Préparation_Rendement_1 cocktail
Mélanger dans un verre et déguster. Garnir d'un quartier de lime
et d'un piment séché (jalapeño, piri-piri, oiseau, etc.)

//////Accord Mix-Bouffe : Suppli-moi (CR1, page 102)

//////Accord Mix-Bouffe :: Salade de haricots (Zeste.tv)

Hawaï 5-0

Fraises congelées (4)
Sirop de canne 15 ml (1/2 oz)
Glaçons
Rhum brun 45 ml (1 1/2 oz)
Grenadine 1 trait

Préparation_Rendement_**1 cocktail**
Écraser au pilon dans un shaker les fraises avec le sirop de
canne. Ajouter tous les autres ingrédients, mélanger
quelques minutes, filtrer et servir.

P121

SERVICE
AU BAR

FERME
23

URE | OUVERTU
H | 17H

Spicy
Mariachi

Vodka 360 ml (12 oz)
Piment jalapeño émincé
Gingembre 2 cm
Citronnelle 2 cm
Piment jalapeño 1 tranche

Préparation_Rendement 6 personnes

Peler et hacher finement le gingembre, mélanger tous les ingrédients sauf la tranche de jalapeño. Réfrigérer à couvert pendant 4 heures ou toute la nuit. Au moment de servir, combiner avec des glaçons au shaker et mélanger pendant 1 minute. Filtrer et servir dans un verre décoré d'une tranche de jalapeño ou de citronnelle.

//////Accord Mix-Bouffe : Burger de fou (CR1, page 69)

Le **Ferrari**

Grappa 30 ml (1 oz)
Limoncello 30 ml (1 oz)
Sirop de cassis 1 trait

Préparation_Rendement_**1 cocktail**
Mélanger et déguster.

//////**Accord Mix-Bouffe : Crème catalane** (Zeste.tv)

Le Funky
Vin **Chaud**

Préparation_Rendement_10 personnes
Mélanger le vin, le sucre et les clous de girofle dans une casserole et chauffer jusqu'au point d'ébullition. Ajouter les autres ingrédients et servir. Garnir de muscade râpée.

Vin rouge 1,5 l (6 tasses)
Sucre 24 cubes
Girofle 12 clous
Brandy 300 ml (10 oz)
Curaçao 300 ml (10 oz)

Le Whisky Café

Thé au citron 270 ml (9 oz)
Whisky 60 ml (2 oz)
Miel 30 ml (1 oz)

Préparation_Rendement_1 à 2 cocktails
Infuser le thé et verser dans des verres ¾ de thé pour ¼ de Whisky.
Compléter avec le miel, remuer et servir.

La Sangria Amère

Préparation_Rendement_ 8 à 10 personnes

Faire tremper les tranches de fruits dans le rhum et le triple sec pendant 4 heures.
Mélanger ensuite les ingrédients bien froids dans un bol à punch.
Remuer délicatement et servir dans des verres remplis de glaçons.
Ajouter un trait de grenadine pour mettre de la couleur.

Pamplemousse tranché
Orange tranchée
Triple sec 105 ml (3 1/2 oz)
Rhum blanc 105 ml (3 1/2 oz)
Vin blanc 780 ml (26 oz)
Jus de pamplemousse 210 ml (7 oz)
Eau gazéifiée 300 ml (10 oz)
Glaçons
Grenadine 1 trait

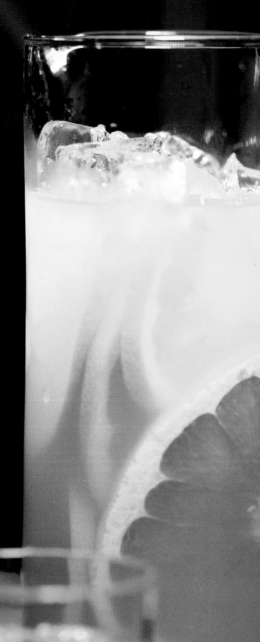

La Sangria
Saint-Antoine

Préparation_Rendement_20 personnes

Couper et arranger les fruits, puis réserver le tout.
Dans un très grand bol, mettre le vin rouge, le triple sec, le jus d'orange, le jus de citron, la vanille, la cannelle et le sucre. Bien mélanger. Ajouter tous les fruits et réfrigérer pendant 4 heures. Au moment de servir, ajouter l'eau gazéifiée bien froide.

Vin rouge 5 l (20 tasses)
Triple sec 300 ml (10 oz)
Jus d'orange 90 ml (3 oz)
Jus de citron 45 ml (1 1/2 oz)
Gousse de vanille (2)
Cannelle 5 ml (1 c. à thé)
Sucre 210 ml (7 oz)
Pommes tranchées (3)
Oranges tranchées (3)
Citron tranché (1)
Grappe de raisin (1)
Pêches tranchées (3)
Eau gazéifiée 1,5 l (6 tasses)

//////Accord Mix-Bouffe : Pizza Tonino (CR1, page 60)

La Sangria Matador

Préparation_Rendement_10 à 12 personnes

Verser le vin rouge, le rhum et la liqueur d'orange dans un bol à punch et mélanger.
Ajouter le jus d'orange, le jus de pomme, le jus de lime et mélanger à nouveau.
Réfrigérer pendant 4 heures. Au moment de servir, ajouter l'eau gazéifiée,
le soda au gingembre, les fruits congelés et des glaçons.

Vin rouge 780 ml (26 oz)
Rhum brun 150 ml (5 oz)
Liqueur d'orange 60 ml (2 oz)
Jus d'orange 210 ml (7 oz)
Jus de pomme 210 ml (7 oz)
Jus d'une lime
Eau gazéifiée 210 ml (7 oz)
Soda au gingembre 210 ml (7 oz)
Baies mélangées congelées 300 ml (10 oz)

Le Punch
CO2 Deluxe

/////Accord Mix-Bouffe : Calmars frits (CR1, page 94)

Sirop de canne 45 ml (1 1/2 oz)
Jus de pomme grenade 240 ml (8 oz)
Mousseux 1500 ml (2 bouteilles)
Vin blanc de vendange tardive 180 ml (6 oz)
Oranges tranchées en quartiers (2)
Ananas coupé en cubes 240 ml (8 oz)
Graines de pomme grenade 60 ml (2 oz)

Préparation_Rendement_**10 à 12 personnes**
Dans un bol à punch, combiner tous les ingrédients sauf les graines
de pomme grenade. Réfrigérer 4 heures. Bien mélanger, servir
sur des glaçons et décorer avec les graines de pomme grenade.

Margarita Penelope

Tequila 45 ml (1 1/2 oz)
Triple sec 15 ml (1/2 oz)
Jus d'une orange
Sirop de canne quelques de gouttes

Préparation_Rendement_**1 cocktail**
Tremper les bords d'un verre à martini dans un peu de jus de
lime puis dans le sel. Mélanger au shaker tous les ingrédients
avec de la glace quelques minutes, filtrer et servir.

//////**Accord Mix-Bouffe : Paella du Cuisinier rebelle** (Zeste.tv)

////// Accord Mix-Bouffe : Sushi du Cuisinier rebelle (zest.tv

Le Sashimi

Gin 30 ml (1 oz)
Saké froid 30 ml (1 oz)
Eau gazéifiée
Sauce soya quelques gouttes
Gingembre frais 1 tranche

Préparation_Rendement_**1 cocktail**
Dans une flûte, mélanger le gin et le saké.
Compléter avec l'eau gazéifiée. Ajouter les gouttes
de sauce soya et la tranche de gingembre.

////// Mixologies

Accords mix-musique

Nutrition Facts
Valeur nutritive
Per 1 tsp (5 mL) / pour 1 c. à thé (5 mL)

| Amount | % Daily |
| Teneur | % valeur |

Calories / Calories 5
Fat / Lipides 0 g
Saturated / saturés 0 g
Trans / trans 0 g
Cholesterol / Cholestérol 0 mg
Sodium / Sodium 55 mg
Carbohydrate / Glucides 0 g
Fibre / Fibres 0 g
Sugars / Sucres 1 g
Protein / Protéines 0 g
Vitamin A / Vitamine A
Vitamin C / Vitamine C
Calcium / Calcium
Iron / Fer

MC. ILHENNY CO.
AVERY ISLAND LA
TABASCO
BRAND
MADE IN U.S.A.

//////Mixologies

Index des alcools principaux

Vodka

Whisky (ou bourbon)

/////// Remerciements

Nous tenons à remercier **Zeste** et **Zeste.tv** pour leur appui et leur support.

Nous tenons aussi à remercierv les propriétaires et le personnel de ces établissements pour leur accueil et leur collaboration :

Baldwin Barmacie, 115 rue Laurier ouest, Montréal, QC
www.baldwinbarmacie.com

Candibar, 1148 av. du Mont-Royal est, Montréal, QC

Chez Serge, 5301 boul. Saint-Laurent, Montréal, QC

Le Gogo lounge, 3682 boul. Saint-Laurent, Montréal, QC

La Porte Rouge, 1834 av. du Mont-Royal est, Montréal, QC

Whisky Café, 5800 boul. Saint-Laurent, Montréal, QC
www.whiskycafe.com

L'auteur tient aussi à remercier les collaborateurs suivants pour leur précieux appui :

L'émouleur Montréal, www.emouleur.com

Mavi Jeans, www.mavi.com

Bacardi Canada, www.bacardi.ca